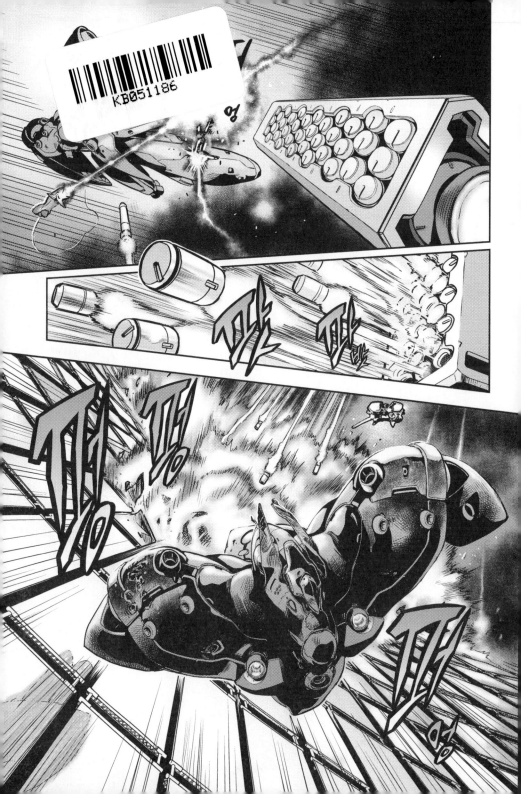

지
지

짜
지
지

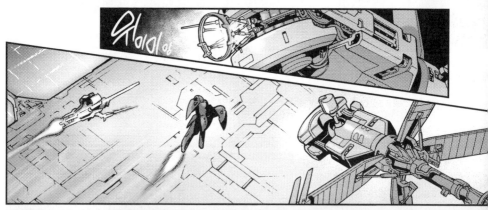

위
이이
잉

역시.
대단하다고밖에
할 말이 없네,
가토 소령님은.

아니… 테스트 수치 이상의 스펙이 나오고 있어.

노이에 질의 성능을 이렇게까지 끌어내다니.

하지만 이걸로 콜로니는 지구에 떨어지겠지.

임무라고는 해도, 우린 그걸 도왔어…

마음은 이해해… 지온에게 있어 두 번째 만행이니까.

하지만 우리는, 그들의 계획을 이해해서 여기 있는 거잖아

모니크!!

그건 나도 알아, 올리버!!

바스크…

잔당 놈들, 저지 한계점을 넘었다고 신이 나서!!

응? 바스크 옴.

뭐야? 귀신이라도 본 사람 같은 얼굴인데.

네놈도 해병대와 같이 쓸어버린 줄 알았는데…

…끈질기군 시마.

네놈들은,
지온도
연방도
똑같아…

멀리서
더러운 일을
시키기만
하고…

그리고
그 죄만
뒤집어씌워서
내버리지.

죽을 자리를
찾아서
기어 나왔나,
시마 가라하우!!

정면에
반응!!
MS 1기!!

콜로니 밖으로
나갈 타이밍을
놓쳤다…

시냅스
함장님!!

궤도 수정용
추진제도 없으니,
콜로니 낙하도
저지 못하고.

우리에겐
손 쓸 방법이
없나?

니나 혼자 컨트롤 시설에 두고 왔다는 게 정말입니까?!

…사실이디.

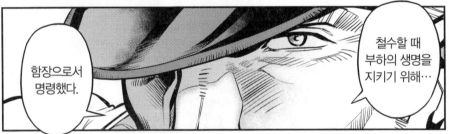

철수할 때 부하의 생명을 지키기 위해…

함장으로서 명령했다.

세상에…

어째서 그런 짓을…

군인이라면 이해해주게, 모라 중위.

아뇨…

니나가 왜 그런 짓을 했느냐는 뜻입니다.

18

니나한테 뭔가…

생각이 있다고 봅니다.

제74화 「궤도 전역(II)」

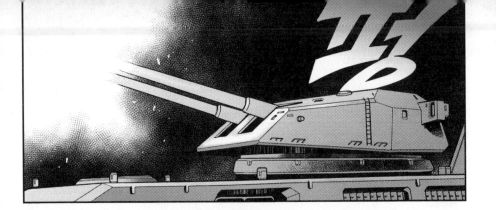

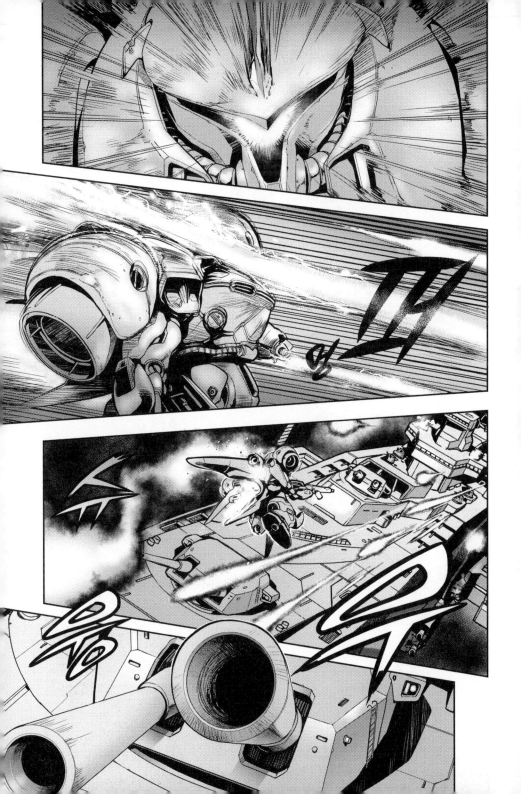

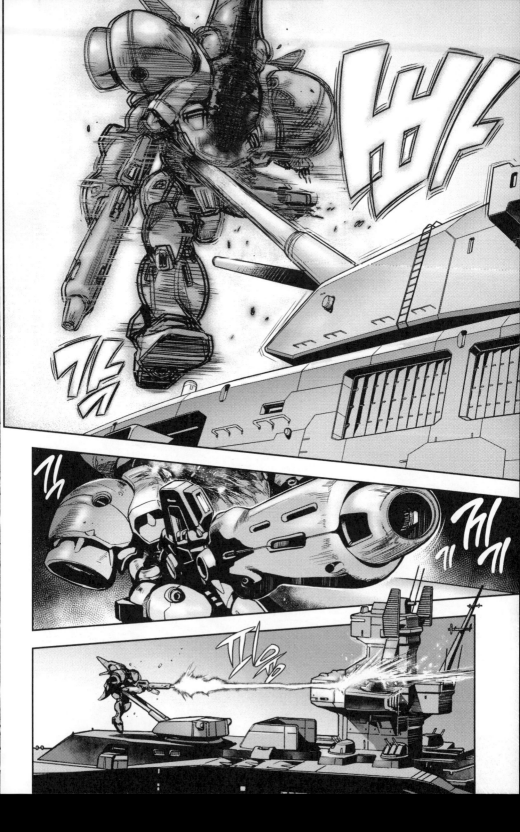

콜로니의
상황은
어떤가?!

저지
한계점을 넘어
지구 낙하
궤도에 돌입
했습니다.

젠

시마 놈!!
괜한 수고를
끼치고.

콜로니 파편이
자브로에
떨어지지만
않으면
되니까!!

낙하를
저지할 수
없다면

콜로니 자체를
함포 사격으로
분쇄하라.

전함,
전속력으로
콜로니를
추격하라!!

지구 연방군 총사령부 자브로

이제 곧
이륙합니다.

본기가
이륙한 뒤에
자브로 전역에
전원 퇴거 명령을
발령하도록!!

하지만… 이 지구에 또다시 콜로니가 떨어진다. 난 그게 두렵다.

필요한 건 그 공포 입니다.

정치, 사회의 사상을 움직이려면 공포라는 연출이 필요 불가결!!

스페이스노이드에 대한 공포와 불신이 지구권을 수호하는 강한 군대를 바라게 합니다.

그것이 다음 싸움에 승리하기 위한 군이 되고…

… 액시즈… 인가.

예… 지온의 망령….

일년전쟁
패잔병,
지온 잔당
최대 세력…

액시즈.

괜찮나 우라키!!
공격이
거칠어지고
있다.

괜찮습
니다…

역시
응답해주지
않네

가토.

설마.
이런 전장에서,
말도 안 돼…

전에…
당신의
싸움에
내가
있을 곳은
없다고…

그런
말을
했었지.

그래도
상관없어.
그냥
내 할 말만
할 거니까.

내가
개입할 수
있는 곳을…

그래서
억지로
만들었어…

알비온은 아직 콜로니 안에 있어?!

맞아!!

그리고 니나 씨도 혼자서…

콜로니 시설에 남았다는 것 같아.

가토도 콜로니 안으로 침입한 것 같다.

니나가…?

...

니나….

애!! 잠깐, 철수하라는 명령이야!!

이제 콜로니 밖으로 나가야 해. 뭐 하려는 거야.

코우!!

제75화 「해후」

여기는 알비온

다행이다!! 우라키 중위, 무사했군요.

저희는 현 구역에서 철수합니다!! 건담은 본함과 합류…

잠깐만. 니나를 두고 가겠다는 거야?!

우라키 중위, 지시에 따르게.

그녀는 본인의 뜻으로 남았다!!

그리고 콜로니는 낙하 궤도에 돌입했다.

이제 우리가 뭘 해도 소용없다!!

전 그렇게 생각하지 않습니다.

니나는 뭔가 생각이 있어서 남았습니다.

그걸 확인하러 가겠습니다!!

우라키 중위…!!

예!!

하는 수
없지…

컨트롤 시설
관련 정보를
건담으로
보내게!!

통신…
끊어졌
습니다.

우라키 중위…
니나를 부탁해.

후오아아 아

니나를
구할 수 있는 건
당신뿐이야.

기체를 맡긴다!! 나웨스트 중령.

딱딱한 군인한테도 사람 같은 구석이 있어서 놀랐어.

뭐, 싫지는 않지만.

'솔로몬의 악몽'이 여자한테 휘둘리다니…

콜로니의 최종 궤도 조정은 별가루 작전의 포인트…

보험은 필요하니까.

그럼, 함장님!!

응!!

니나한테는 저 혼자 가겠습니다.

바보 같은 소리!! 나도 가겠다.

가토도 있잖아.

케리 씨는 여기서 기다려 주세요.

삐빅

삐빅

제가 가겠습니다데

그건, 그렇 다만… 그럼 네가 남아라!! 내가 간다.

아무도 없이, 건담을 두고 가라는 건가요.

한 사람은 기체에 남아 있이야죠.

이 싸움이 끝나면 둘이서 지구로 가자고.

니나하고 약속했어요.

니나를 위해 가토를 쓰러 트리겠다고…

우라키…

너, 그 방아쇠를 당길 수 있겠냐.

64

이쪽에서 해제하거나 밖에서 조작하지 잃는 한 오키스 해치는 안 열립니다.

그쪽 해치가 안 열리게 잠갔어요.

너무 어설픈 생각이다…

역시 내가 간다.

설마 내가 가토와 만나면 널 배신할 거라고 의심하는 건가!!

무슨 생각이냐 …?!

그렇다면!! 잠금장치를 해제해라, 우라키…

니나 데리고 금방 올게요. 기다려 주세요.

물론 믿어요.

의심한다면 케리 씨를 혼자 남겨두지도 않았죠.

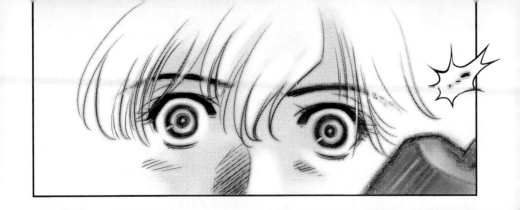

더…
실컷 욕해주려고
했는데

할 말이 정말
많았는데…

머릿속이
하얘져서…

아무 말도…
못 하겠어.

…
미안
하다…

신경
쓰지 마…

움직
이지
마라!!

…
그 때 상처가
아직
안 아물었나?!

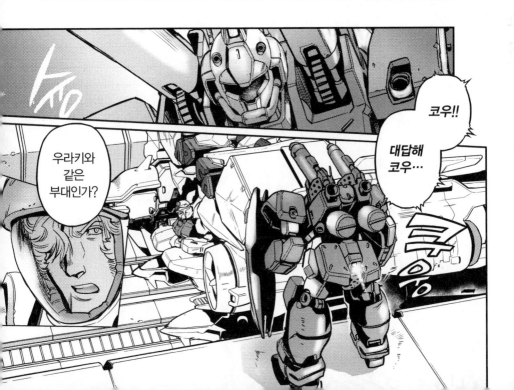

우리 기기 개폐 조작을 잠가버렸다!!

부탁이 있다. 밖에서 해치를 열어줘!!

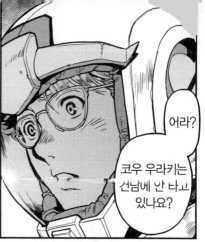

어라?

코우 우라키는 선님에 안 타고 있나요?

안에는 가토도 있다!!

우라키가 혼자서 니나를 데려오겠다고 시설로 갔다.

저희는 코우의 증원으로 왔거든요.

뭐가 어떻게 된 건가요?

해치를 열라고 해도… 곤란하네요.

제발… 가게 해줘!!

시간이 없다!! 내가 우라키를 데려오겠다!!

이놈은 지온 군인이다!! 말 듣지 마라.

키스!!

그러면 위험하잖아요!!

우라키…
인가

MS에서 내려
여기까지 온
기개는 좋다.

쏘…
쏠 수 있어.
난 군인이다!!
적이라면
쏜다.

니나!!
빨리
이쪽으로
와!!

하지마
코우!!

허나.
그 떨리는 손으로
총을 쏠 수
있겠나?

말도 안 돼, 니나…

나하고 한 약속은 뭐야…

가토를 쓰러트려달라고, 니나가… 말했잖아!!

총 치워줘…

그런 얘기가 아냐… 코우.

비켜 니나!!

가토를 쓰러트…

MOBILE SUIT
GUNDAM
0083
REBELLION
STARDUST MEMORIES

MOBILE SUIT
GUNDAM
0083
REBELLION
STARDUST MEMORIES

콜로니는 지구에 떨어지기 전에 파괴할 예정이었을 텐데…

…

시마 그 머저리가!! 실패했나…

시마의 해병대가 전멸?!

뭔가 정보가 있나!!

그게…

오설리번 상무님…!!

전멸…

게다가 시마는 연방 궤도함대와 교전해서 죽었다고?!

큰… 큰일이다.

시마와의 관계가 연방에 알려지면, 난 끝장이다!!

모든 서류와
데이터를 없애라.
놈들과 관계된
흔적을
남기지 마!!

예

시마 놈…

거래
상대를
잘못
골랐나…

케리이!!

함께
전장을 누비고
동지라 믿었던
전우에게
총을 겨누는 건
어떤 기분이지?

알 수
없군…

동포를
배신하고
죽이는 건
어떤 기분이냐는
말이다!!

……

움직이지
말아요!!
지혈할게요.

니나!!

가토!!
거기 책상 옆에
구급 키트가
있을 거야!!

가지고
와…

이건가
….

지혈제랑
테이프!!

응급
처치지만
아마
괜찮을
거야!!

탄환은
뺐어…

케리…

너 같은 사내가 왜 연방 따위로 돌아섰지.

딱히 연방으로 넘어간 건… 아니다.

내가 싸우는 이유가 달라졌을 뿐이야.

싸우는 이유…?

쳇

목숨을 걸어서라도 지켜야 하는 것이

라트라에게 깃들었다는 것… 같다.

나 같은 놈한테도 최소한

부모라는 자각이 생기더라고.

지켜야 할 존재 따위는… 필요없다.

그런 나약함을 품으면 대의를 이룰 수 없으니까.

그렇기에, 나는 그 나약함을 전부 버리고 여기에 있다.

…

우리가 지금까지 싸울 수 있었던 건, 지키고 싶은 동료가 있기 때문이라고!!

'나약함' 같은 게 아냐!!

지키지 못한 동료도 있었고

나도 많은 동료가 지켜줬다!!

그래서 알비온의 모두를…

여기 있는 케리 씨와 니나를 지키기 위해…

무엇이니
이루지 못한 자가,
동료를 지킬 수
있겠나.

그래봤자
말뿐인
이상에
불과하지만.

신참이었던
병사가
그럴듯한
소리를
하게 됐군.

가토 소령.
최종 궤도
수정
서둘러주게.

슬슬
한계점을
넘는다.

...

......

하지 마… 니나!!

더 이상 가토 멋대로 굴게 두면 안 돼!!

…

약속은 잊지 마…

그래!! 여기서는 싸우지 않겠다.

이제 이 레버만 당기면 돼.

뻑

큭…

……

가토.

말했지.
궤도만 수정하면
목숨 따윈
아깝지 않다고.

그럼,
나랑 같이…

여기 남아서
우리 둘의
'죗값'을
치르는 건
어때.

죄…?

하지만…
네 죄라니,
뭐지.

내 죄가
뭔지는
알고 있다.

…

이 싸움은
나와 당신이
만나면서
시작됐다고
할 수 있어.

솔직히
그렇잖아.
건담의
기본 OS도,
나 혼자서는
그렇게까지
못 만들었어.

당신의
조언을
과분하게
반영했거든.

그렇다고,
그런 이유로
니나가
죄의식을
가질 필요는
없잖아!!

그런 줄도
모르고
들떠 있었던

멍청한 날
용서할 수
없어.

지온의 에이스
파일럿이었던
사람의 귀중한
조언이라면,
설계에 도움이
되겠지.

하지만 네가 추구한 MS의 성능 향상이 사람을 구하기도 했을 텐데!!

그것만, 바보같이 추구했다는 거야…

얼마나 효율적으로 적을 쓰러… 아니, 죽일 수 있을지

내 죄는 병기 개발자로서 자각도 각오도 없이

실제로는 어때? 가토가 빼앗은 건담 2호기의 핵탄두 때문에 솔로몬에서 몇 명이 죽었지?

그럴 지도 몰라. 하지만 …

그 연장선에 있는 이 콜로니 낙하로 앞으로 얼마나 많은 사람이 죽을까?

네놈은 동료를 지키겠다고 했지…

하지만 이게 현실이다!!

네놈은 눈앞에 있는 여자 하나도 지키지 못한다.

니나를 어쩔 셈이야, 가토!!

데려간다. 더 이상 우리를 방해하지 못하도록.

빠악

…알겠습니다. 뒷일은 제가…

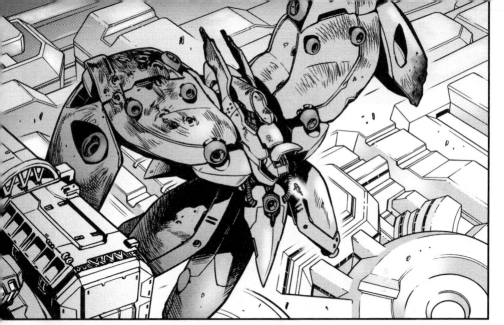

그건
상관
없지만…

그리고 놈들의
MA를 찾았다.
박살내는 게
좋을 거야.

나웨스트
중령.
니나 퍼플턴의
신병을
부탁한다.

MOBILE SUIT
GUNDAM
0083
REBELLION
STARDUST MEMORIES

MOBILE SUIT

GUNDAM
0083
REBELLION
STARDUST MEMORIES

돌아가신…
델라즈 각하 대신,
이 아나벨 가토가
작전 사령관
대행으로서

많은 희생을
치렀으면서도
지금까지 싸워온
용감한 동포여!!

제군들과 함께
싸운 것을
영광으로
생각한다.

지크
지온…

소령님!!

가토
소령님!!

지크
지온

지크
지온

잔존부대가
일제히
철수 행동을
시작했습니다!!

한 놈도
보내지 마라.
각개 격파!!

철저히
섬멸
하라!!

파

전 부대,
속히
철수하라

반복
한다,
철수
하라!!

……

제 부대는 공작 부대로서 다른 임무가 있습니다.

케리 레즈너 대위님.

철수 명령이다.

괜찮겠나… 중사.

…날 알고 있나?

일년전쟁 때 솔로몬에 물자를 반입하다가 봤습니다.

대위님은 유명한 MA 파일럿이니까.

설마 대위님이 별가루 작전 중에 적으로 돌아설 줄은 몰랐습니다.

……

쓱...

이미
철수 명령이
내려졌으니,
더 이상
붙잡아둘 생각은
없습니다.

가토 소령님이
여기선 싸우지
않겠다고
약속했으니까.

…

그럼 가도
되겠지.

······

······

고맙다
중사!!

중사…

…

어이쿠,
레즈너
대위!!

얼굴이
참 무섭네?
화라도
나셨어?

너한텐
버닝 대위님의
원한이
있으니까

편하게
죽을 생각은
말라고!!

포위가
허술한 곳을
노려서 돌파해.
한 대라도
더 빠져나가라!!

소령님!!

펑 펑
펑
유이잉
…
소령님은
어디에…

가토
소령님!!

델라즈 함대가
철수를
시작했다.
이제 한계야.

우리도
위험해.

아직 노이에 질은 가동하고 있어. 조금만 더…

이제 한계야. 철수합니다.

올리버!! 우리도 철수하자.

더 이상 기동 데이터 회수는 무리야.

우리가 연방한테 나포당해서

액시즈가 이 싸움에 가담했다는 게 드러나면

연방한테 액시즈를 공격할 좋은 구실을 주게 돼.

그게 얼마나 위험한 일인지는 알지, 올리버.

…예.

데이터 회수 중지!!! 관측 포드는 자괴 모드로.

현 구역을 이탈!!

가토 소령님이 무사히 액시즈 함대에 도착하기만 빌자.

이젠 그저…

델라즈 함대, 철수 개시.

잔존 부대가 이쪽으로 이동하고 있습니다.

액시즈 선발 함대

별가루가 성공했나 보군.

델라즈. 잘도 여기까지 해냈다!!

예!! 콜로니는 최종 궤도 수정도 완료… 완벽합니다.

후딱 콜로니에서 이탈하자, 우라키.

어이쿠!!

그러고 보니 하나 깜박했네…

아, 미안하다.

케리 씨 헬멧이 여기에…

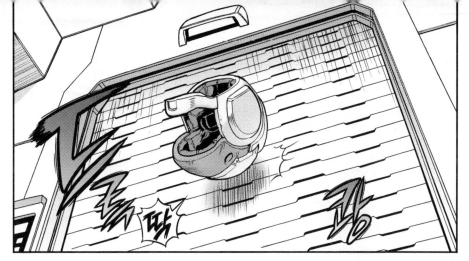

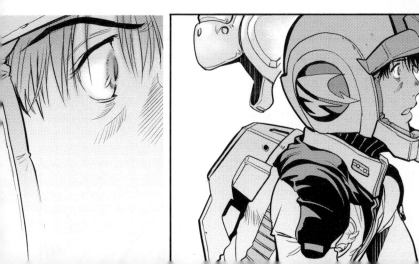

원망하지 마라 우라키… 이것도 일이다.

베이트 중위님…

코우!! 늦었잖아…

니나 양은? 무슨 일 있었어?

…담

뭐야!! 대답해봐 코우…

건담…

MOBILE SUIT
GUNDAM
0083
REBELLION
STARDUST MEMORIES

MOBILE SUIT
GUNDAM
0083
REBELLION
STARDUST MEMORIES

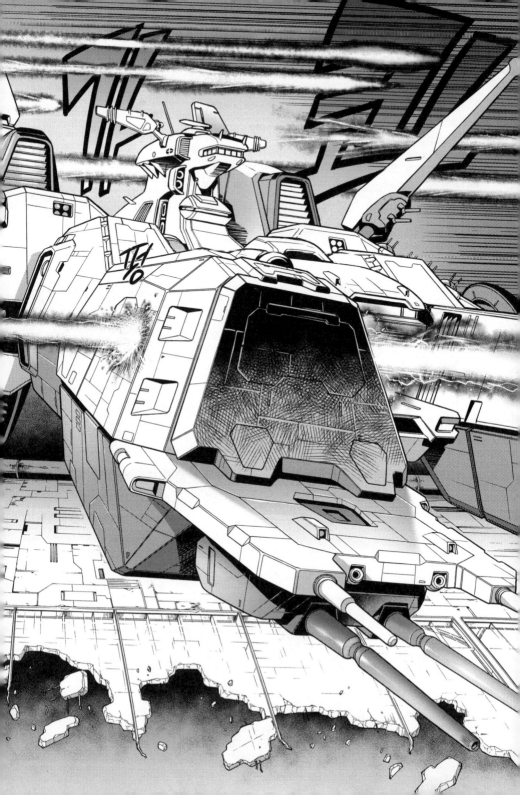

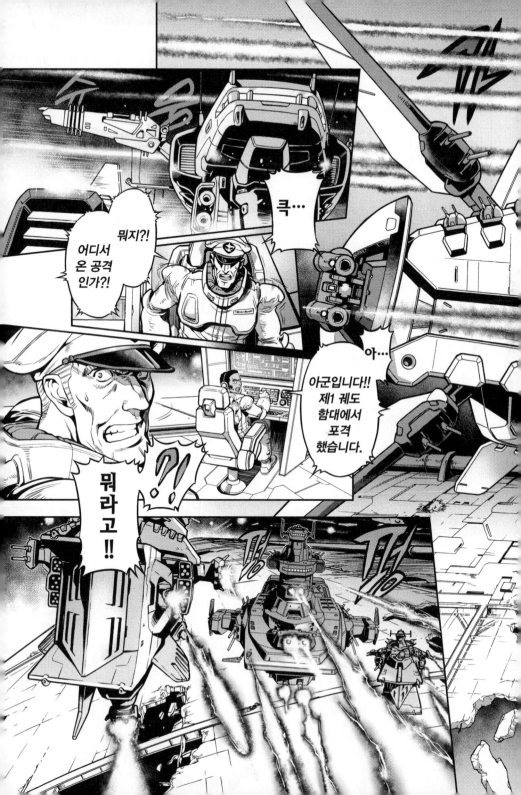

콜로니와 함께 소멸하는 쪽을 선택했나.

콜로니 낙하 궤도 계산이 나왔습니다.

불확정 요소가 있지만…

자브로 직격 궤도는 벗어난 것 같습니다.

자브로에는 안 떨어진…다고!!

이 콜로니가 자브로만 아니면, 어디에 떨어져도 상관없다.

예?

예!!

그렇다면 이제 남은 건 도망친 잔당 섬멸 뿐이군.

하지만… 콜로니 낙하를 저지하지 못한 건, 역시 분합니다.

4년 전에 있었던 콜로니 낙하…

그 참극의 공포는 시구 권을 결속시켰고, 일년전쟁을 승리로 이끌었다.

하지만… 그 승리에 들떠 풀어져 있는 지금의 연방군에게는

이번 참극두 조직을 다시 굳건하게 변혁시키는 기점이 되겠지.

가토 소령님의 소재는 파악했나?!

아뇨, 전 모릅니다. 카리우스 중사님.

설마 아직 콜로니 안에 계신 건가…?!

카리우스…

한 사람이라도 더,
액시즈 선발
함대와
합류하라.

지금이라면
포위가
허술해서
돌파할 수
있습니다.

소령님도
액시즈로…

무사하셨군요,
가토 소령님!!

어디에
계십니까?!

무인으로서의
'의(義)'를
관철하기 위해
싸워야 하는 적이
여기에 있다.

난 아직
못 간다.

우리의
'대의'가
성취된 지금,
남은 건
내 개인적인…

…

뭐 하는 거야 코우!! 철수 명령 이라고!!

분리 시퀀스 가동 중…

스테이멘, 웨폰 시스템 가동…

이제 와서 분리해 가지고 뭘 어쩔 건데.

가토를 쓰러트릴 거야….

아.

여기는
…

의식이
없는 채
죽으면
기분
나쁘잖아.

각성제로
깨워서
두통이 좀
있겠지만

금방
괜찮아질
겁니다.

그러니까,
니나 양이었나.
당신도
보고 싶을 것
같아서.

지온 징용함
우드갈드에
잘 오셨
습니다.

나웨스트
중령이다.

……

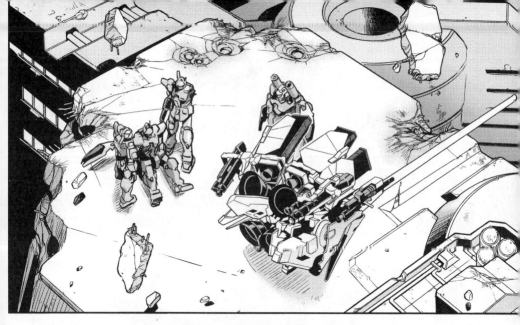

야, 듣고 있냐!!

우라키!! 죽여 버린다.

끼이잉

일단 뒷일은 알비온에 귀함한 다음에.

아…

…

186

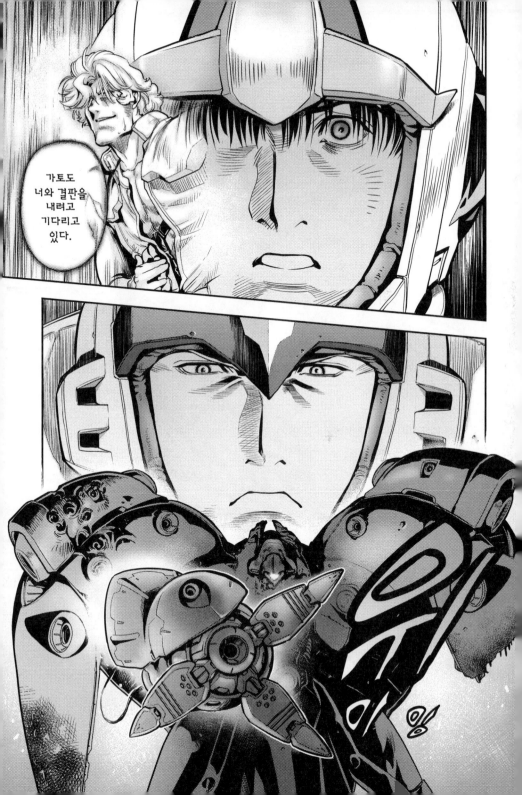

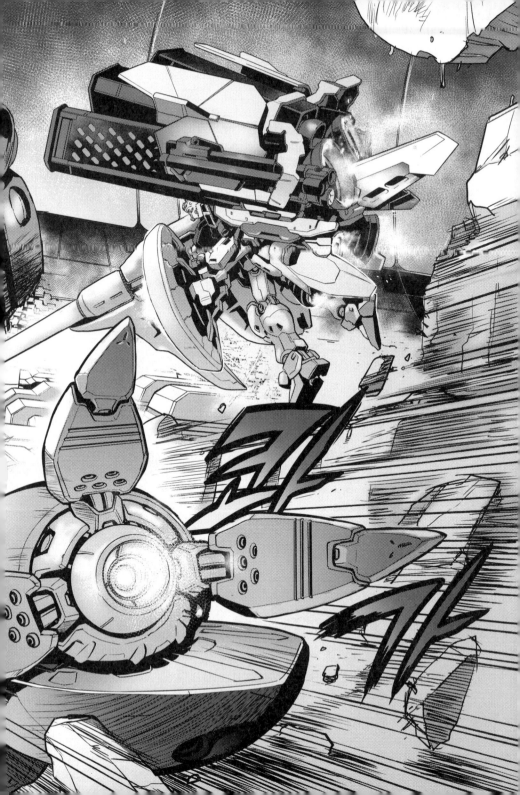